Redactie:	Larry Iburg
Omslagontwerp:	Erik de Bruin, www.varwigdesign.com
	Hengelo
Lay-out:	Christine Bruggink, www.varwigdesign.com
Foto's:	Christine Bruggink
Druk:	Wöhrmann Print Service
	Zutphen

ISBN 978-90-86600-030-4

© 2007 Uitgeverij Ellessy
Postbus 30227
6803 AE Arnhem
www.ellessy.nl

WWW TERRA
wij willen weten

Deel 9

Yono Severs

De Wadden

ELLESSY JEUGD

Inhoudsopgave

Inleiding

Tussen Den Helder in Nederland en voorbij Esbjerg in Denemarken bevindt zich een uniek natuurgebied van land en water. De zee, met haar eb en vloed, speelt er de belangrijkste rol, samen met de altijd waaiende wind. En zand en zout, niet te vergeten.

In dit prachtige landschap liggen een groot aantal eilanden, waarvan ieder voor zich een eigen verhaal vertelt. Kleine landjes zijn het, met stranden, duinen, polders, *kwelders, prielen, schorren, slikken, slenken,* schelpen, visnetten, duindoorn, meeuwen, sterns, lepelaars en nog veel meer.

Net zoals zeeën bruisen van leven, doen die eilanden dat ook, mede dank zij hun enorme hoeveelheid bijzondere bloemen en dieren. En dan zijn er ook nog de kilometers verre vergezichten over de Noordzee vanaf de eilanden.

Denemarken, Duitsland en Nederland hebben ieder hun eigen Waddeneilanden, die in alle drie de landen populair vakantiegebied zijn. Mensen vanuit de hele wereld bezoeken ze om allerlei redenen. De een om uit te waaien, de ander om inspiratie op te doen voor het schrijven van een boek. Mensen gaan naar de eilanden op huwelijksreis of juist om een ongelukkige liefde te vergeten. Er komen vogelliefhebbers en plantenfanaten. Sommigen komen er om 'bruin te bakken,' omdat zij weten dat er op de Waddeneilanden veel meer zonuren zijn dan op het vasteland.

Om wat voor reden de Waddeneilanden dan ook worden bezocht, de meeste eilanders zijn er blij om dat hun woongebied zo populair is. De verdiensten dankzij het toerisme zijn tegenwoordig namelijk de belangrijkste bron van inkomsten op de Waddeneilanden.

Soms staat een woord schuin (*cursief*) gedrukt. Wat zo'n woord betekent, kun je vinden in de woordenlijst achterin dit boekje.

1. Geschiedenis van de wadden

Met het *wad* wordt over het algemeen het Waddengebied tussen Nederland, Duitsland en Denemarken en de daartoe behorende Waddeneilanden bedoeld, ofwel de Waddenzee gevuld met Waddeneilanden. Dit Waddengebied is het grootste ter wereld. Aan de westkust van Afrika ligt ook een *wad*gebied, maar dat is veel kleiner.

Het *wad*, een *getijden*gebied, is altijd in beweging en heeft een grote variatie en verscheidenheid aan planten- en dierenleven. Er vinden altijd grote zandverplaatsingen plaats.

De Nederlandse Waddenzee is ontstaan na de laatste IJstijd. De temperatuur steeg, het ijs begon te smelten. Het smeltwater stroomde weg en deed de zeespiegel aan de Noordzeekust stijgen. Op een flink aantal plaatsen langs de kust hoopte zich zand op, dat in de loop van de tijd begroeid raakte. Dankzij die begroeiing kreeg het land stevigheid en kon het niet meer zo gemakkelijk worden weggespoeld door de zee.

Vanaf het begin

Ongeveer 12.000 jaar geleden eindigde de laatste IJstijd. Het warmer wordende klimaat deed het ijs smelten. Daardoor steeg de zeespiegel en de Noordzee, die tijdens de IJstijd grotendeels droog had gelegen, vulde zich met water. In dat water bevond zich veel zand, dat daar door het ijs uit het noorden en een aantal Europese rivieren uit het zuiden (zoals Eems, Elbe en Weser) in gestuwd was. Golven en stromingen brachten dit zand naar de kusten, waar door ophoping langwerpige zandplaten ontstonden. Deze zandplaten of zandbanken werden ook wel strandwallen genoemd. Tussen die strandwallen onderling en tussen die strandwallen en de kust waren diepe geulen op plaatsen waar rivieren uitmondden in zee. Geulen zijn de diepere gedeelten en staan dus altijd onder water.

Kaart van het gehele waddengebied

Golven en stromingen bleven steeds weer nieuw zand naar deze zandplaten brengen, die op veel plaatsen door de branding extra omhoog werden gestuwd. Zo ontstonden er duinen. Deze duinen raakten begroeid met planten, die lange wortels maakten om bij water te komen. Die lange wortels verstevigden het duin, dat zo een goede barrière vormde tegen aanstormend watergeweld. Deze 'oudere duinen' konden wel 10 meter hoog worden.

Kustbewoners, mensen die op het vasteland aan zee woonden, liepen naar de zandplaten of strandwallen om daar te gaan wonen, of ze namen hun polsstok mee om op de zandplaat te komen als er brede waterplassen lagen waar ze overheen moesten springen. De vroegste bewijzen van bewoning van de eilanden zijn uit ongeveer 900 voor Christus.

Duinen blijven van vorm veranderen

Maar van een paar mensen trok de zee zich niets aan, zij bleef gewoon doorgaan met haar werk. Zij voerde aan de ene kant zand aan en aan de andere kant bleef zij lekker schuren en knagen aan het land. In de loop van eeuwen verdween het veen- en *kwelder-*gebied tussen de strandwallen en het vasteland onder water. Nu waren de strandwallen losgeraakt van het vasteland, wat betekent dat de Waddeneilanden waren geboren, met duinen opgehoogde zandplaten die omringd waren door zeewater. Het water tussen de eilanden en het vasteland werd 'Waddenzee' genoemd en zo heet het nog steeds. 7.000 jaar geleden, in de Middeleeuwen, werd de zee rustiger langs de kust. Eb en vloed bleven zand verplaatsten (en zullen dat ook altijd blijven doen) maar de kustlijn lag eindelijk een beetje vast. De grote duinenrij was ontstaan, er lagen eilanden in zee.

Wind, *stormvloeden*, waterstromen en veranderingen van de zeespiegel blijven van grote invloed op de Waddenzee en daarmee ook op de eilanden. Zandbanken, strandwallen, duinen, *slibvlakten* en *kwelders* blijven van vorm veranderen. Dat maakt het Waddenzeegebied boeiend voor veel mensen zoals onderzoekers, natuurliefhebbers en vakantiegangers.

'Wandelen'

De Waddeneilanden blijven onder invloed van wind en water voortdurend in beweging, ze blijven van vorm veranderen. Aan de ene kant verdwijnt er iets in zee, aan de andere kant slibt en waait het aan. Dat noemt men het 'wandelen' van de eilanden. Mensen die wandelen, gebruiken hun benen. De Waddeneilanden 'wandelen' door de inwerking van de zee en de wind. Heel langzaam maar zeker verplaatsen de Waddeneilanden zich van west naar oost: aan de westkant verdwijnen de meeste eilanden langzaam in zee en aan de oostkant ontstaan steeds grotere zandbanken. Dit 'wandelen' is er de oorzaak van dat de meeste dorpen op de Nederlandse Waddeneilanden zich aan de westkant van de eilanden bevinden. Toen ze werden gesticht lagen ze meestal in het midden. In de loop van de laatste eeuwen zijn al veel huizen en zelfs complete dorpen in zee verdwenen.

Voorbeelden van een door het water verzwolgen dorp is bijvoorbeeld West-Vlieland, dat in februari 1714 onaangenaam werd verrast toen zeewater het dorp brutaal binnenstroomde. Helemaal onverwacht was het niet, omdat de zee in voorgaande jaren al gaten in de beschermende duinenrij had geslagen. De wind had ook haar vernietigende rol gespeeld, zij blies het resterende duinzand weg en zo kon het gebeuren dat de zee begin 1714 vrij spel kreeg. De kerk en een aantal huizen werden weggespoeld. Vanuit het vasteland probeerde men om de definitieve ondergang van het dorp tegen te houden maar dat lukte niet. In 1729 werd de politie teruggeroepen uit het dorp, uit angst voor 'verder ruïne der huysen,' zoals in een oud geschrift vermeld staat. In 1736 waren er nog maar twee huizen over, waarvan er nog maar één bewoond was. In 1753 stond er boven de plaats waar tot voor kort het dorp had gestaan, 15 vadem zeewater, ruim 25 meter.

Een ander dorp dat van de kaart verdween als gevolg van het 'wandelen' van de eilanden, is Westerburen op Schiermonnikoog. Al in 1588 klaagden eilanders over de 'afslag' op Schier door de zee en door de wind die voor verstuiving van de duinen zorgde. Pas in 1715 vonden de eilanders het nodig om de kerk af te breken om hem twee jaar later ten zuidoosten van Westerburen te herbouwen. In datzelfde jaar, 1717, bracht een *stormvloed* tijdens de Kerstnacht grote schade toe aan het eiland. Op 1 januari 1720 was er opnieuw een moordende *stormvloed,* die dorpsbewoners dwong om naar het westen weg te trekken. Tijdens een storm op 7 september 1756 sloeg het noodlot opnieuw toe. Huizen woeien om, grote stukken land werden weggeslagen, schepen vergingen. De tweede kerk van Westerburen werd verwoest en de bevolking trok naar Oosterburen, waar vanaf dat moment honderden nieuwe huizen moesten worden gebouwd. Vier jaar later, in 1760, viel het doek definitief. Op tweede Kerstdag overspoelde de zee het dorp en ontvluchtten de laatste bewoners hun huizen om het vege lijf te redden.

Haakvorming

Niet alleen 'wandelen' de Waddeneilanden, ook doen ze aan haak-
vorming: langs de zeegaten ontstaan haakvormige zandrichels,
die door de inwerking van zee en wind van vorm veranderen.
Dankzij deze zandrichels of haken ontstaan nieuwe zandplaten
zoals de Noorder- en Zuiderhaaks bij Texel. Soms groeit zo'n
plaat vast aan een eiland, waardoor het dus verloren gegaan
gebied terugwint.

> **De waddeneilanden blijven
> onder invloed van wind en water
> van vorm veranderen**

Bewoning

De mensen die op de Nederlandse Waddeneilanden gingen
wonen, waren oorspronkelijk bewoners van de provincies
Friesland en Groningen. Dat kun je nog horen aan het *dialect* dat
op een aantal eilanden wordt gesproken, dat afstamt van het Fries
en het Stadsfries.
Kustbewoners werden eilanders. Ze hoogden stukken land op om
daarop huizen te bouwen. Dit deden ze vanuit het idee dat als de
zee het land nog eens zou overstromen, hun huizen niet onder
water zouden verdwijnen. Ook konden ze op deze verhogingen of
terpen, in geval van overstroming hun vee van de verdrinkings-
dood redden. Dat de wegen onder water kwamen te staan, vonden
de eilanders vervelend genoeg. Hun huizen hoefden niet ook nog
onder water komen te staan.

De terpentijd duurde tot ongeveer 1.000. Daarna werden er verbindingswegen en dijken tussen de terpen aangelegd.

Die eerste bewoners van de eilanden leidden een eenvoudig bestaan omdat er nog bijna niets was. Ze leefden van het land en van de zee, ze verbouwden gewassen die tegen een overstroming door zout water konden en ze legden zich toe op visserij. Ze moesten hard werken temidden van stuivend zand en woedend water. Kleileem voor de *terpen* werd met de handen uitgegraven en vervoerd omdat daar nog geen machines voor bestonden. Als je je daar een voorstelling van maakt, begrijp je meteen de onderstaande beschrijving van Plinius, een Romeinse schrijver die leefde van 61 tot 112 na Christus:

'... in het oosten, aan de kusten van de oceaan, verkeert een aantal rassen in behoeftige condities ... Daar stort, twee keer in elke periode van een dag en een nacht, de oceaan zich met een snel getij over een onmetelijke vlakte... Daar bewoont dit miserabele ras opgehoogde stukken grond of platforms, die ze met de hand hebben aangelegd boven het niveau van het hoogst bekende getij. Levend in hutten gebouwd op de gekozen plekken, lijken zij op zeelieden in schepen... en rond hun hutten vangen ze vis die probeert te ontsnappen met het aflopende getij. Het is voor hen niet mogelijk om kuddes te houden en te leven op melk zoals de omringende stammen, ze kunnen zelfs niet met wilde dieren vechten, omdat al het bosland ver weg ligt.'

Grote delen van de geschiedenis van de eilanden zijn teruggevonden doordat *archeologen terpen* afgroeven. Er zijn duizenden vondsten gedaan, waarvan een groot deel nog steeds te zien is in de verschillende musea en bezoekerscentra op de eilanden en langs de noordelijke kust van Nederland (zoals het Fries Museum in Leeuwarden en het Groningen Museum).

Wat je daar zoal kunt zien:
* beenderen;
* aardewerk;
* leerfragmenten;
* schoenen;
* materialen van steen en van hout;
* hertshoorn, door jagers uit gebieden buiten de waddenlandschappen meegebracht.

Onbewoonde eilanden

Naast bewoonde Waddeneilanden zijn er ook onbewoonde gebieden met prachtige namen zoals:
* Noorderhaaks of Razende Bol, ten zuiden van Texel;
* De Richel, ten noordoosten van Vlieland;
* Griend, tussen de Richel en Harlingen in Friesland;
* Engelsmanplaat, tussen Ameland en Schiermonnikoog;
* Simonszand, ten noorden van Schiermonnikoog;
* Rottumerplaat, ten noorden van Simonszand;
* Rottumeroog, ten noorden van Rottumerplaat.

De namen duiden aan dat deze gebieden een overgang kunnen vormen tussen zandplaat en eiland. Griend en Rottumeroog worden over het algemeen als eiland beschouwd omdat ze voortdurend droog staan, de andere verdwijnen van tijd tot tijd nog onder de golven.
Nog meer zandplaten en eilanden die (voorlopig nog) onbewoond zijn:
* Buiten Gronden, ten noordwesten van Het Schutter;
* De Hollen, ten zuidoosten van Texel;
* Het Schutter, ten noordwesten van Texel.

Tussen Schiermonnikoog en Rottumeroog en de Fries-Groningse kust lagen eilandjes die onder water zijn verdwenen:

- Band;
- Bosch;
- Corenzand;
- Heffezand.

Planten- en dierenwereld

Bij vloed is het Waddengebied een grote zee, bij eb is het een ingewikkeld landschap van *slikken, schorren* en geulen, van zand en *slik*platen. Doordat de Waddenzee tweemaal per dag heel wat kubieke kilometers Noordzeewater toegevoerd krijgt, blijft zich daar een ongelooflijke rijkdom aan planten en dieren ontwikkelen:

- in de Waddenzee leven ongeveer 30 soorten vis, waarvan verschillende soorten belangrijk zijn voor de Nederlandse economie. Een goed voorbeeld hiervan is de garnaal;
- de Wadden worden wel eens het vogelrijkste gebied van West-Europa en Noord-Afrika genoemd. Per jaar trekken ongeveer 5 à 6 miljoen vogels door dit rustgebied. De cijfers over de variatie aan vogelsoorten op de eilanden verschilt tussen de verschillende bronnen van 75 tot 123;
- zoals al het dierenleven op de wereld, steunt ook het dierenleven op de Waddenzee direct of indirect op de plantenwereld.

Aan het begin van de voedselketen staat de plant, vaak microscopisch klein, in de vorm van kristal- of kiezelwieren. Dit enorme voedselreservoir kan per km^2 *wad* voortdurend 600 tot 1000 vogels voeden.

2. Verschillende types waddenkust

Het is goed om erover na te denken wat 'wad' eigenlijk betekent. Het woord *wad* komt van het Latijnse woord vadum, dat 'doorwaadbare plaats' betekent. Dat staat voor zandplaat of een gebied dat bij gemiddeld laagwater droog valt en dat bij gemiddeld hoogwater wordt overspoeld.

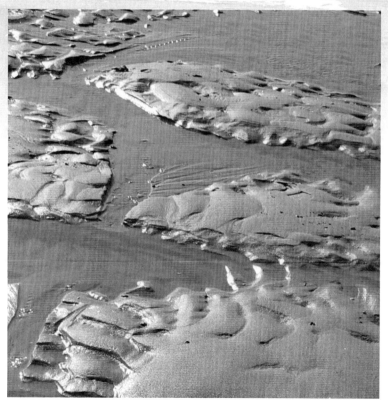

Een doorwaadbare plaats

Een *wad*dengebied is een landstreek die uit geulen, *slikken* en *kwelders* bestaat. Het land is slechts voor een deel begroeid. Wadden worden doorsneden door een stelsel van *prielen,* die zijn ontstaan door de schurende werking van afstromend water bij dalend tij. *Prielen* veranderen voortdurend van loop.

Veel mensen houden ervan om wandelingen te maken over het *wad*, dat heet *wad*lopen. Soms moeten zij daarbij door ondiep water lopen of *wad*en.
De Waddenzee is rijk aan leven, zoals onder andere dierlijk- en plantaardig plankton, vele vis- en vogelsoorten en natuurlijk de zeehond. Het *wad* vormt een bijzonder *ecosysteem* met een eigenvoedselketen. Verstoring van de voedselketen door rampen die door de natuur of de mens worden veroorzaakt, hebben zeer grote, meestal nadelige, gevolgen voor het hele *ecosysteem* van het *wad*.

Aangezien de Waddenkust zich uitstrekt van Nederland tot in Denemarken, kun je je wel voorstellen dat er verschillende soorten Waddenkust zijn. De soort wordt bepaald aan de hand van omstandigheden zoals de hoogte van het *getijverschil* en de gemiddelde *golfhoogte.*

Het wad vormt een eigen ecosysteem met een eigen voedselketen

Open kust

Een groot *getijverschil* in combinatie met weinig *golfhoogte* leidt tot een open kust. Die heeft:
* geen eilanden;
* enkele zandplaten;
* een groot gebied met *kwelders* en *wadplaten*.

Gesloten kust

Een grote gemiddelde *golfhoogte* met een klein *getijverschil*, levert een gesloten kust op. Die heeft:
* heel lange eilanden (van tientallen kilometers);
* daarachter een *lagune* met weinig tot geen *wadplaten*.

Vijf soorten in totaal

De Waddenkusten zijn in te delen naar:
1. *getijverschil* is het belangrijkst; geen eilanden, uitgebreide *kwelders* en strandvlakten;
2. door golven opgebouwde richels, soms eilanden;
3. veel zeegaten en (korte) eilanden;
4. minder eilanden, langere eilanden;
5. *golfhoogte* is het belangrijkst; lange gesloten hindernissen.

De gemiddelde *golfhoogte* ter hoogte van Rottum is ongeveer 1 meter terwijl het gemiddelde *getijverschil* ruim 2 meter is. Dat maakt de Nederlandse (en ook de Duitse Waddenkust) tot type 3, met veel (korte) eilanden en veel zeegaten.

3. Middelen van bestaan langs de waddenkust in nederland

Het leven op de eilanden was zwaar. Niet alleen was er de voortdurende dreiging van het water en de wind, ook hadden de bewoners moeite om hun kostje bij elkaar te scharrelen. Het land was moeilijk te bewerken omdat het nauwelijks vruchtbaar was en omdat er voortdurend zand overheen werd geblazen.

Akkerbouw en veeteelt

Dit waren voor de terpbewoners de belangrijkste middelen van bestaan.
Akkerbouw kon alleen plaatsvinden op de hoogste delen van de *kwelders*. Door kreken uit te diepen en greppels te graven regelde men de waterstand en ook de indeling van het land, dat na deze ingrepen met de ploeg kon worden bewerkt. Men verbouwde onder meer:
* gerst;
* gierst;
* dederzaad;
* tarwesoorten;
* koolzaad.

Men hield runderen, schapen, paarden, varkens en kippen.
De jacht was niet van belang omdat er geen groot wild op de eilanden leefde. Vogeljachten werden er wel gehouden, dan schoot men onder andere ganzensoorten, zwanen, Jan van Genten, eendensoorten, meeuwensoorten en zeearenden.

Dank zij de akkerbouw en veeteelt (die het noodzakelijke materiaal leverden) konden er allerlei vormen van handwerk worden beoefend zoals spinnen, weven, houtsnijden, leerlooien en beenbewerking. Met de producten die hieruit voortkwamen werd handel gedreven, zoals blijkt uit terpafgravingen waarbij onder andere Romeins aardewerk en Frankische gouden sieraden zijn gevonden. In de loop van de tijd gingen niet alleen eilanders maar ook kustbewoners steeds meer handel drijven en zo groeiden Friese dorpen als Bolsward, Dokkum, Leeuwarden en Emden uit tot handelssteden van betekenis.

Visserij

In de Middeleeuwen was de Noordzeevisserij op de eilanden het belangrijkste middel van bestaan. Toen in de loop van de 16^e eeuw de visserij op de Noordzee terugliep, ging men zich meer op de Waddenzee richten. Vanaf de 18^e eeuw viste men op oesters en later ook op haringen. Dit hield na 1930 op omdat de Afsluitdijk werd aangelegd. Bekende Friese vissersplaatsen uit die tijd waren Holwerd, Fiskbuorren, Wierum en Paesens-Moddergat. Van dit laatste dorp ging in 1883 bijna de hele visversvloot verloren. Al werd in de loop der daarop volgende jaren de vloot opnieuw opgebouwd, doordat men vergat om de schepen (en de methodes) te moderniseren, legde zij het af tegen de Engelse stoomtrawlers. De enige bekende Groningse vissersplaats was Zoutkamp, van waaruit men op schol en schelvis viste. Zowel op het Fries als het Groningse *wad* ontstond in latere jaren de garnalenvisserij.

Walvisvaart

Vooral in de 17^e en 18^e eeuw was het Waddengebied een belangrijke basis voor de walvisvaart. Van de gevangen walvissen was vooral het spek van betekenis, maar ook baleinen en beenstukken wist men te gebruiken, onder andere voor afrasteringpalen en als grafzerk. Ook zijn er mooie poorten gemaakt van walviskaken. Na de Franse overheersing aan het einde van de 18^e eeuw, was het snel met de walvisvaart gedaan. De vele nog steeds bestaande commandeurswoningen - huizen voor de rijkere walvisvaarders - blijven ons herinneren aan deze woelige tijden.

Scheepvaart

Of het nu gaat om zilte verhalen over overwinningen op stormen of over rouwende vrouwen vanwege het vergaan van een complete vloot, de scheepvaart op de Waddenzee speelde al in de middeleeuwen (van ongeveer 500 tot ongeveer 1500) een belangrijke rol. Dit blijkt uit in 1323 ingestelde biertol registers. Dit zijn lijsten met gegevens, waarop werd bijgehouden wat er met betrekking tot de scheepvaart in de omgeving gebeurde. Rond 1620 werd er op Schiermonnikoog een Admiraliteit gevestigd, een college van toezicht over zeezaken.

Scheepsvaart maakte het noodzakelijk dat er loodsen waren, ervaren mannen die de zee kenden en die kapiteins die minder bekend waren met de wateren rond de eilanden veilig van het ene punt naar het andere konden leiden.

Toen de scheepsroutes veranderden, verloren de eilanden hun betekenis voor de scheepvaart. Er werd in de 17^e eeuw nog wel vracht naar IJsland gevaren en er werd op de Oostzee gevaren maar met de komst van de stoomvaart in de loop van de 19e eeuw liep het af met de beroepszeilvaart.

Op Terschelling is in 1875, vanuit de noodzaak en dank zij de eeuwenlange ervaring, een zeevaartschool opgericht die nog steeds bestaat, het Maritiem Instituut Willem Barentz. Het is in de loop van de tijd uitgegroeid tot één van de best uitgeruste nautische en technische instituten van Nederland.

Jacht

Er kwamen geen grote landzoogdieren voor op de eilanden. Zodoende is de jacht nooit van groot belang geweest. Er werd op eenden gejaagd met eendenkooien en er werd op robben (zeehonden) gejaagd omdat deze dieren de visserij veel schade toebrachten. Daarnaast kon er geld worden verdiend met hun pels en met de traan die uit het spek werd gekookt. Ook gold zeehondenlever langs de Waddenkust lange tijd als een lekkernij. In 1961 werd de jacht op zeehonden verboden omdat de dieren met uitsterven werden bedreigd.

Zand- en schelpenwinning

In het verleden hielden de bewoners van de eilanden zich vrijwel onafgebroken bezig met het winnen van zand, dat onmisbaar was voor de aanleg van terpen, dijken, wegen en het ophogen van bouwgrond. Schelpen werden en worden gevist voor het verharden van wegen en paden. Daarvoor worden ze eerst in kalkbranderijen gebrand.

Winning van wier en zeegras

Al in de 16^e eeuw ontdekte men dat stapels zeewier als pakket samengeperst goed hielpen om de dijken te beschermen. Alleen was het geen zeewier maar zeegras wat men gebruikte. De eilanders bekleedden de dijken met de pakketten, die met houten bouwsels op hun plaats werden gehouden.
In de jaren dertig van de vorige eeuw brak er een epidemie van schimmelziekten uit die vrijwel al het zeegras in de Waddenzee doodde.
In de jaren vijftig en zestig werd er gevist op klein zeegras, dat werd gebuikt voor sierboeketten.
Altijd al werden er verschillende wiersoorten gewonnen zoals zee-eik en knots- en blaaswier. Zogenaamde wierschuren op Vlieland en Terschelling herinneren ons aan deze nevenvorm van visserij. In deze schuren lag het gedroogde wier te wachten tot er een afnemer kwam om het op te halen en te gebruiken.

4. De bewoonde nederlandse waddeneilanden

Ieder Waddeneiland heeft haar eigen charme. Er zijn overeenkomsten tussen de eilanden zoals zee, strand, zand, wind, planten en dieren, musea, oude dorpen, maar ook verschillen zoals het hebben van een vliegveld (Ameland) of het uitgeroepen zijn tot natuurreservaat (Schiermonnikoog).

4.1. Texel

Texel is het grootste eiland van de zes permanent bewoonde Waddeneilanden.
Typisch voor Texel zijn de tuinwallen die vroeger de grens vormden tussen de verschillende landerijen. Ze zien er vrolijk uit door de vele verschillende bloemen die erop bloeien.

Het ontstaan van het eiland

Rond 1300 was Texel niet meer dan een groep keileemopstuwingen, opgebouwd uit achtergebleven kleileem uit het tijdperk het Pleistoceen. Keileem is een mengsel van leem, keien en grind. Die grondstoffen zijn tijdens het schuiven van het ijs vermalen tot vaste materie.
De losse stukken grond werden omringd door zeewater en doorsneden door kreken. De lager gelegen delen kwamen regelmatig onder water te liggen.
In de 14e, 15e en 16e eeuw werden er veel dijken op Texel aangelegd. De belangrijkste bedijking was Waal en Burg, tussen Den Burg, De Koog en De Waal. Het belang van Waal en Burg was dat zij een grote slenk (watergeul) afsneed, waardoor het zeewater niet meer vrij van het oosten naar het westen en weer terug kon stromen. Het werd steeds veiliger om op het eiland te wonen omdat er steeds minder gevaar voor overstromingen was.

Kerktoren van Den Burg op Texel

Om de veiligheid nog beter te kunnen garanderen werd in 1629 op bevel van de Staten van Holland een verbinding tussen de duinen bij De Koog en het toenmalige eiland Eierland gemaakt. Dit deed men uit angst voor dijkdoorbraken.

Doordat haar ontstaansgeschiedenis afwijkt van die van de andere Waddeneilanden - die voornamelijk uit zand- en duingebieden bestaan - wijkt ook haar landschap sterk af. Op kleigrond groeien namelijk andere planten dan op zandgrond en dat heeft tot gevolg dat er ook weer andere dieren leven.

Cultuur

Texel heeft een oppervlakte van 16.000 hectare. Ongeveer een kwart daarvan is begroeid met bos. Er is 30 kilometer strand en 135 kilometer fietspad. Je zult dus eerder iemand op het strand tegenkomen dan op een fietspad.

Op Texel wonen in totaal 13.000 mensen, verdeeld over 7 dorpen:
- Den Hoorn, met veel interessante oude gebouwen die veel over de geschiedenis van het eiland vertellen;
- Oudeschild, waar de haven bij ligt;
- Den Burg, het grootste dorp, met het gemeentehuis en de bioscoop;
- De Waal, het kleinste dorp, met ongeveer 250 inwoners;
- De Koog, badplaats vlak bij het strand;
- Oosterend, waar veel oude gebouwen te bekijken zijn;
- De Cocksdorp, het jongste dorp van Texel.

Wie van cultuur houdt, kan op Texel goed terecht, er zijn 6 verschillende musea:
- de Oudheidskamer in Den Burg, vol oude kunst- en gebruiksvoorwerpen;
- het Natuurrecreatiecentrum in De Koog, waar men laat zien

hoe men op Texel van de natuur kan genieten;
- het Maritiem museum in Oudeschild, met veel voorwerpen (zoals wapens en delen van schepen) die door Texelaars uit zee zijn opgevist, aan het strand zijn opgeraapt of door vissers en andere zeevarenden afgestaan;
- het Juttersmuseum in Oudeschild, hoort bij het Maritiem museum en laat ongeveer dezelfde zaken zien;
- het Scheepvaart museum in Den Hoorn, met schilderijen, tegeltableaus, scheepsmodellen, prenten, zeekaarten en -instrumenten;
- het Wagenmuseum in De Waal, met boerenwagens, rijtuigen en arresleden;

Texel is beroemd om zijn schapen, vogels en de afwisseling van landschappen. Vanwege hun bijzondere waarde zijn de duinen van Texel uitgeroepen tot nationaal park.
Wie iets lekkers van Texel wil meenemen, doet er goed aan om te kiezen uit de volgende specialiteiten:
- lamsvlees;
- koek;
- vis;
- bier;
- kruidenbitter;
- schapenkaas.

De Slufter

De Slufter is een duinvallei waar het water van de Noordzee bij vloed naar binnen stroomt. Zodoende kunnen er alleen maar planten groeien die van zout houden. De Slufter is een prachtig natuurgebied, waarvan sommige delen alleen maar bezocht mogen worden met een gids.

Rond 1850 stond er langs de westkust een duinenrij die was ontstaan doordat aanstuivend zand door het planten van helm was vastgehouden. In 1851 brak deze duinenrij tijdens een zware

storm door. Dit gebeurde op de drie plaatsen:
- ter hoogte van de Muy;
- bij de kleine Slufter;
- iets ten zuiden van de weg bij de Krim.

De doorbraak bij Muy werd in 1878 hersteld, die bij de Krim is in de loop van de jaren dichtgestoven. De huidige Slufter bevindt zich in het noordwesten van Texel omdat het eerst niet lukte om hem af te sluiten en omdat men later inzag dat dit een wonderbaarlijk mooi natuurgebied opleverde.

De Slufter een ideale plek voor vogels, zoals lepelaars en blauwe reigers, maar ook de begroeiing maakt het gebied interessant. Doordat er telkens zout water binnenstroomt, komen er alleen planten voor die daartegen kunnen. Bijvoorbeeld lamsoor, dat in juli en augustus bloeit. Grote gebieden worden daardoor dan lila van kleur.
Andere planten die in de Slufter voorkomen zijn:
- kweldergras;
- Engels zeegras;
- zeemelkkruid.

4.2. Vlieland

Het ontstaan van dit eiland is hoogstwaarschijnlijk veroorzaakt door het graven van kanalen en afwateringen naar de zee door kloosterbroeders van Ludinga uit het klooster bij Achlum, in de buurt van Harlingen te danken. Dat kwam zo:
Om vanaf het vaste land een betere verbinding te verkrijgen met het uitgestrekte gebied rond het westelijke gedeelte van Vlieland begonnen de monniken rond 1230 met het graven van een kanaal ten zuiden van Vlieland. Rond 1237 kwam men dicht bij de Noordzee terecht. Tijdens een zware storm werd er een gat in de duinenrij geslagen, en het zeewater zocht haar weg langs het gegraven kanaal. Een enorme overstroming volgde en Vlieland was geboren.

Het eiland bestaat eigenlijk uit drie delen:
- de Vliehors in het zuidwesten, een uitgestrekt open zand-landschap;
- Oost-Vlieland in het noordoosten, dat bebouwd is;
- het centrale gedeelte in het midden van het eiland, dat in de loop der eeuwen het meest constant is gebleven.

Vlieland heeft aan de noordoostkust een sterke afslag, waardoor gedeeltes van het eiland, zoals de Koremansvallei rond 1914 en het Stortemelk, verloren gingen.

Op het eiland zijn eeuwenlang problemen geweest met stuifzanden, begin 1800 werd Vlieland gezien als een grote stuivende vlakte, als een barre zandwoestijn met veel stuifgaten. De duinen waren nog wel begroeid, maar ze werden afgewisseld door kale valleien. Pas rond 1910 waren de Vlielandse duinen redelijk begroeid, wat het eiland stevigheid gaf.
Resten van duinvalleien kun je nu nog zien bij de Oude Kooi en bij Malgum.

De oorspronkelijke bewoners van Vlieland leefden niet alleen van het land, het boerenbestaan, daarnaast vonden zij mogelijkheden om zich in leven te houden van en door de zee:
- visserij, met pinken, kleine houten zeilvissersschepen;
- grote zeevaart, waarvoor loodsdiensten werden opgericht en bedrijven voor onderhoud en reparatie van schepen, en winkels voor uitrusting van schepen en *proviandering*;
- walvisvaart.

In de 19e eeuw woonden er nog maar ongeveer 500 mensen op Vlieland en men overwoog om het eiland te ontruimen. Gelukkig werd toen de waarde van het eiland voor het toerisme ontdekt. De middenstand leefde weer op en Vlieland werd een uniek vakantie-oord, van waaraf je bijvoorbeeld zeehondentochten kunt ondernemen.

Vlieland ligt in vergelijking tot de andere Waddeneilanden het verst bij het vasteland vandaan. Om er te komen moet je ongeveer anderhalf uur varen. Er is maar één dorp op Vlieland, Oost-Vlieland. Het lange, smalle Vlieland is een eiland met twee gezichten: de oostkant is zand, de westkant is bebouwd. Er wonen in totaal ongeveer 1.150 mensen.

Op Vlieland mogen geen auto's komen, alleen eilanders mogen daar autorijden. Dus verplaatst iedereen zich te voet of per fiets. Er is dan ook 26 kilometer fietspad op Vlieland.

Opvallend op Vlieland is de vuurtoren op het Vuurboetsduin, die je zo ongeveer overal waar je op Vlieland bent, ziet. Het Vuurboetsduin is ongeveer veertig meter hoog en van daar af kun je het hele eiland overzien.

Van de melk van de overal op Vlieland grazende geiten wordt de typische Vlielandse geitenkaas gemaakt.

Voor de museumliefhebbers heeft Vlieland het volgende in petto:
• het Trompshuys, het oudste museum op de eilanden, met schilderijen, kunstvoorwerpen, porselein, kristal en zilver;
• Natuurhistorisch museum; met een leeszaal en vitrines vol opgezette vogels.

Belangrijke natuurgebieden zijn:
• Meeuwenduinen, met valleien vol planten;
• Kroonpolders, met tegen de honderd vogelsoorten;
• Oude Kooi, voornamelijk coniferenbos;
• Kooispeklid, duinlandschap;
• Vliehors, dat naast natuurgebied ook Defensiegebied is.

4.3. Terschelling

Terschelling is het op een na grootste Waddeneiland.
De duinen zijn hier in verschillende periodes ontstaan. Vooral het biestarwegras heeft een rol gespeeld in het vormen van de

helmgras

Terschellingse duinen. Maar ook de mens heeft er een handje bij geholpen. Dat deed men door van takken gemaakte schermen neer te zetten die voorkwamen dat het zand wegwoei.

Op hoge duintoppen groeit rood zwenkgras en duindoorn. Als deze planten verdorren en afsterven, wordt de bodem zuur en kan er heide gaan groeien. Op Terschelling komen daar verschillende soorten van voor, zoals:
* dopheide;
* kraaiheide;
* struikheide;
* lepeltjesheide.

De bescherming tegen de zee is ook op Terschelling dus afhanke-
lijk van de plantengroei. De duinen van Terschelling 'wandelen'
nog steeds, ze blijven van vorm veranderen doordat de wind -
voornamelijk uit het westen - zand blijft verplaatsen.
Maar niet alleen de wind, ook de stroming langs de kust speelt een
rol in de voortdurende vormverandering van Terschelling. De zee
blijft 'vreten' aan de duinen, ze blijft ze weg schuren.
Om dat in de hand te houden is ten zuiden van West Terschelling
een stroomkeerdam aangelegd.

Het brede strand van Terschelling, met het mooie fijne witte zand,
is op 5 plaatsen met de auto of de fiets te bereiken. Er zijn strand-
tenten waar je in de zomer iets koels kunt drinken en als het kouder wordt, iets warms.

Door het harde bestaan werden de eilanders sterk en zelfstandig.
Nog steeds houden ze niet van onzin op Terschelling, en ook niet
van opschepperij.
De komst van toeristen heeft nogal wat eilanders in handelslui
veranderd. Boeren gingen hun stallen als zomerverblijf verhuren,
ze lieten gasten tegen betaling op hun paarden rijden.

Weer

Hoewel het op Terschelling het minder vaak regent dan op het
vaste land, wil dat niet zeggen dat het er ook warmer is. Dat komt
doordat Terschelling midden in relatief koud zeewater ligt.
Daardoor is het op Terschelling gemiddeld enkele graden kouder
dan in het midden van Nederland. Daarbij waait de wind, die
altijd uit zee komt, hard op Terschelling.

Cultuur

Begin 1600 was Terschelling een overslagplaats van de VOC, de
Verenigde Oostindische Compagnie, die naar Azië voer om peper

en specerijen te kopen. Nadat de VOC haar schepen ergens anders liet aanleggen, legden de eilanders zich toe op visserij en het boerenbedrijf. Vooral dat laatste was een zwaar bestaan, omdat de grond telkens onderstoof met zand. En op zandgrond kun je nauwelijks eetbaar gewas verbouwen. Ook gingen er veel eilanders naar zee. Het zeevaartonderwijs is op Terschelling dan ook sterk ontwikkeld. In West-Terschelling vind je het moderne Maritieme Instituut Willem Barentsz, dat vernoemd is naar de ontdekkingsreiziger en belangrijke kaartenmaker Willem Barentsz, die op Terschelling is geboren. Daar kun je worden opgeleid tot maritiem officier of hydrograaf (waterkundige).

Er zijn twee musea op Terschelling:
* Gemeentelijk museum "'t Behouden Huys' in West-Terschelling, waar je kennis kunt maken met de wooncultuur van de eilanders en de manier waarop zij met de zeevaart omgingen;
* Het Natuurhistorisch museum, met een groot zee-aquarium en vitrines vol opgezette vogels en bloeiende planten. Ook zijn er maquettes te zien, banden met vogelgeluiden te beluisteren en je kunt er naar diaprojecties kijken. Een leerzaam geheel.

Natuur

De noordelijke duinenrijen worden onderbroken door natte duinvalleien. Dit maakt het landschap heel afwisselend. Verder naar het zuiden raken de duinen dichter begroeid en komen er bossen voor, zoals het Formerumer en het Hoornse bos.
Bij Oosterend, aan de oostkant van het eiland, begint de Boschplaat, een bekend Europees erkend natuurgebied. Het loopt tot aan het Amelander gat, het meest oostelijke punt van het eiland.

Dieren (fauna)

Er wonen heel veel verschillende dieren op Terschelling. Dieren die er niet voorkomen zijn:
* rat;
* eekhoorn;
* vos;
* marterachtigen;
* grofwild.

Op Terschelling wonen wel:
* reeën;
* konijnen;
* hazen;
* fazanten;
* vogelsoorten zoals lepelaars en de grauwe - en blauwe kiekendief.

Het strand van Terschelling is 30 kilometer lang. Dat wil zeggen dat er ruimte genoeg is voor iedereen. Ook in de uitgestrekte duinen en polders hoef je op de 70 km. fietspad niet voortdurend mensen tegen te komen.

Terschelling heeft, met haar 5.000 eilanders, net als Ameland vier dorpen:
* West Terschelling;
* Formerum;
* Midsland;
* Landerum.

4.4. Ameland

Ameland hoort bij de provincie Friesland. Het eiland bestaat voornamelijk uit zandduinen, maar er is ook veel drassig gebied.

Dit laatste is ideaal voor vogels, waarvan er dan ook heel wat verschillende soorten op Ameland leven of aanleggen.

Net als Terschelling blijft ook Ameland van vorm veranderen doordat de wind en zeestromen invloed hebben op het land. In het noorden van Ameland is een duinrand, in het oosten zijn er *kwelders*, in het zuiden gras. Als de wind vrij spel zou krijgen, zou heel Ameland kunnen wegwaaien in zee. Of op zijn minst het zand waarop de huizen en wegen zijn gebouwd en aangelegd. Om te zorgen dat dat niet gebeurt zijn er dijken aangelegd:
* de Zwanenwaterstuifdijk in het noorden;
* de Kooioerdstuifdijk in het oosten;
* de Ballumer stuifdijk in het zuiden.

Er wonen ongeveer 3.200 mensen op Ameland, verdeeld over de volgende vier dorpen:
* Hollum;
* Nes, met het oudste huis van het eiland, gebouwd in 1625;
* Buren;
* Ballum, dat een klein vliegveld heeft, Ameland Airport Ballum.
In de zomer komen er ongeveer 30.000 bezoekers naar Ameland. Gelukkig zijn die verdeeld over het hele seizoen, dat loopt van eind april tot begin november.

Ameland heeft 4 musea:
* Het Landbouw / Juttersmuseum Swartwoude in Buren, waar je een beeld krijgt van het leven van de boeren op het oude Ameland. Je ziet dat het in feite één grote strijd om het bestaan was. De meeste Amelander boeren combineerden hun vak met dat van visser, jager en jutter. In het museum zie je niet alleen oude werktuigen maar er lopen ook paarden, kalveren, geiten, varkens en kippen rond. Verder zie je heel verschillende strand vondsten die de eilander jutters door de eeuwen heen hebben verzameld;
* het Cultuur-historischmuseum 'Sorgdrager' in Hollum, dat

gevestigd is in een Amelander commandeurswoning. Dit was een 18^e-eeuwse walvisvaarderwoning, waarin een rijke walvisvaarder woonde. Je vindt er een stijlkamer met een typisch Amelander interieur en er zijn wisselende tentoonstellingen over vooral Amelander onderwerpen;

* het Reddingsmuseum 'Abraham Fock' in Hollum, waar je geïnformeerd wordt over de spannende Amelander paardenreddingboot;
* het Natuurcentrum Ameland in Nes, waar je van alles kunt ontdekken over de unieke planten- en dierenwereld van Ameland. Er is speciale aandacht voor de potvis, omdat er vijf op het eiland gestrand zijn, en voor de blauwe vinvis, waarvan een kopie aanwezig is.

Bos, duin, *kwelder,* strand en *wad,* ook Ameland toont veel verschillende landschappen, wat betekent dat er veel verschillende bloemen, planten en dieren leven. Te zien en te ontdekken zijn bijvoorbeeld:

* op het strand en bij het jonge buitenduin begint het met kleine planten zoals zeeraket en loogkruid;
* naast deze van zout houdende vetplantachtigen vinden we ook enkele grassoorten;
* direct achter het jonge duin kun je de kleine teunisbloem vinden, met gele bloemen en de blauwe zeedistel, samen met wel 30 andere bloemen- en plantensoorten die door de wet beschermd worden;
* in de binnenduinen groeit onder andere ogentroost, gedoornd stalkruid en duindoorn;
* in kalkarme duinen floreert onder andere kraaiheide, dat zich vaak tot hoog in dode duindoornstruiken opwerkt;
* tussen de verschillende duinpartijen liggen vochtige duinvalleien met bijvoorbeeld parnassia, strandduizendguldenkruid, klokjesgentiaan, lepeltjesheide, cranberry, wolfsklauw, pirola;
* in de winter groeien er orchideeën in de vaak erg natte duinvalleien. Die kun je trouwens beter niet plukken, hoe mooi je ze ook vindt, want ze verdorren binnen een minuut;

- omdat de bermen en sloten op Ameland niet worden doodgespoten maar worden gemaaid, groeien en bloeien er veel verschillende grassen, kruiden en bloemen zoals dotterbloemen, gele lis, zwanebloemen en wateraardbei;
- de Amelandse bossen zijn de geboortegrond voor onder andere kamperfoelie, lijsterbes, keverorchis, diverse varensoorten en natuurlijk verschillende bomensoorten.

De teunisbloem

4.5. Schiermonnikoog

Vroeger lag Schiermonnikoog veel westelijker en was het nog kleiner dan nu. De westpunt van het eiland is tussen 1300 en 1850 ongeveer 3,5 kilometer naar het oosten geschoven, de oostpunt 7,5 kilometer. Dat is gemiddeld een kilometer per eeuw. Dit maakt Schiermonnikoog tot een van de snelst 'wandelende' eilanden aan de Nederlandse Waddenkust.

Schiermonnikoog heeft lange tijd aan Friesland vast gezeten. Het eiland is pas gevormd na de watersnoodramp van 1287, waarbij waarschijnlijk de hele toenmalige bevolking omkwam. Van de geschiedenis voor de Middeleeuwen is over Schiermonnikoog vrijwel niets bekend. In de Middeleeuwen werd Schiermonnikoog onderdeel van het Cisterciënzer klooster Claercamp uit Rinsumageest bij Dokkum. De monniken van het klooster droegen grijze pijen, waar de naam van het eiland vandaan komt: 'schier' betekent grijs, en 'oog' betekent eiland.
In 1440 wordt de naam Schiermonnikoog voor het eerst in een akte genoemd.
In 1580 werd Friesland protestant. Het Cisterciënzer klooster verloor alle bezittingen en Schiermonnikoog werd ingelijfd bij de provincie Friesland.
Omdat de provincie Friesland geldgebrek had, verkocht zij het eiland in 1638. Het is hierna eeuwenlang *particulier* bezit geweest.
In 1945 kwam het eiland in bezit van de Staat der Nederlanden.
In 1989 werd het eiland benoemd tot Gemeente Schiermonnikoog. Daarmee werd het weer onderdeel van de provincie Friesland.

In de 16^e eeuw bestond Schiermonnikoog uit een grote duinenboog van twee duinruggen. In het zuiden werd het eiland begrensd door een oudere duinenrij. Tweederde van dit oude duingebied is in de golven verdwenen of door jongere duinen bedekt.

De wadden zijn goede viswateren voor meeuwen

In de 18ᵉ eeuw werden de eerste dijken bij het dorp aangelegd. Na 1850 werd er een nieuwe strandvlakte met duinen gevormd. In 1860 werd de zeedijk aangelegd. De afsluiting van de Lauwerszee in 1969 bracht grote veranderingen met zich mee. De afwisseling in getijdenwerking nam af waardoor er meer klei en zand achterbleven rond Schiermonnikoog. Ook verplaatste het geulenstelsel zich, waardoor het wantij - de plek waar vloedstromen elkaar ontmoeten - verder naar het oosten opschoof. Vanaf 1990 geldt het beleid van 'dynamisch handhaven van de kustlijn van 1990.' Dat betekent dat ervoor wordt gewaakt dat de kustlijnen zich niet verder terugtrekken. Mocht dit toch gebeuren, dan worden er maatregelen getroffen, zoals bijvoorbeeld het storten van zand en het verstevigen van de duinen door aanplant van helmgras.

Schiermonnikoog anno 2006 is de kleinste gemeente van Nederland met slechts 986 inwoners. Het is met haar zeventien meter lang en vier kilometer breed het kleinste Nederlandse Waddeneiland. Schiermonnikoog is uitgeroepen tot Nationaal park omdat het een heel bijzondere natuur heeft. Alleen de eilandbewoners mogen er autorijden, toeristen moeten dat vervoersmiddel op de wal achterlaten. Schiermonnikoog heeft het breedste strand van Europa en door aanslibbing vanuit de Noordzee groeit het nog steeds. Bovendien is het een heel schoon strand, waar prachtige schelpen en zeesterren te vinden zijn.

De bevolking spreekt tegenwoordig Nederlands, er zijn nog maar honderd eilanders die het oorspronkelijke *dialect* kunnen spreken. Schiermonnikoog heeft één dorp, Schiermonnikoog. Het dorp Westerburen is, zoals je hebt kunnen lezen in hoofdstuk 1 (De geschiedenis van de Wadden) vanaf 1719 langzaam door de zee weggespoeld.
In het dorp zijn twee musea:
* het Bezoekerscentrum, dat informatie geeft over dieren (fauna) en planten (flora), wat er aan natuur te verwachten valt op het strand, de duinen, de *kwelders* en de polders;
* het Gribus Rariteitenkabinet Museum in het voormalige Roomse kinderkoloniehuis St. Egbert. Dit is een fascinerend rariteitenmuseum met een wonderlijk ingericht muziek- eetcafé waar soms heel rare dingen gebeuren.

WWW-TERRA

5. Toerisme op de nederlandse waddeneilanden

De Waddenzee bruist van het leven omdat de vloedstroom twee keer per dag slib- en planktonrijk water uit de Noordzee aanvoert. Een groot deel daarvan bezinkt op de zandplaten. Daarnaast wordt het ondiepe water van de Waddenzee in de zomer snel opgewarmd. Dat geeft algen en wieren de kans om snel te groeien. Zij vormen de basis van de enorme voedselrijkdom waaraan de bewoners van de Waddenzee, talloos veel vissen, vogels en zeehonden, zich tegoed doen. Dit fascinerende samenspel in de natuur is een trekpleister voor natuuronderzoekers. Maar dat niet alleen, ook vakantiegangers zien de waarde in van een verblijf op de Waddeneilanden.

Onderkomen

Zoals je uit de tekst tot nu toe zult hebben begrepen, doen de eilanders er alles aan om zoveel mogelijk gasten binnen te halen. Ze bouwen boerderijen om tot vakantiehuis en ze maken ruimtes geschikt als groepsaccommodatie, ze bouwen bungalowparken en hotels en de campings worden goed onderhouden. Eilanders ontvangen tijdens het vakantieseizoen gasten bij zich thuis, dan ben je bij ze in pension.

Amusement

Er wordt van alles georganiseerd om te voorkomen dat de toerist zich verveelt, waardoor de eilanders het risico lopen dat hij hun eiland voortijdig verlaat, wat hen in hun inkomsten scheelt. Er is een keur aan restaurants, cafés, winkels en ook aan musea, die al zijn genoemd in hoofdstuk 4 (De bewoonde Nederlandse Waddeneilanden).

Afscheid van Texel vanaf de veerpond

Ook voor wie op een andere manier actief bezig wil zijn, is er keus te over:
- rondvluchten boven de eilanden;
- wandelingen en excursies onder leiding van een gids van Staatsbosbeheer;
- zeehondentochten;
- paardenverhuur;
- wadlooptochten;
- fietsroutes;
- naar de bioscoop;
- meedoen aan een klaverjas- of bridgewedstrijd;
- in de winter kan er worden geschaatst of gelanglauft, maar dan moet het weer wel meewerken;
- surfen;
- boottochten, bijvoorbeeld langs onbewoonde eilanden;
- strandritten met paard en wagen en huifkartochten;
- activiteiten op het gebied van tekenen, schilderen en poëzie.

6. De Deense waddenkust

Net als de Duitse en de Nederlandse Waddenkusten is ook de Deense Waddenkust een kwetsbaar gebied omdat wind en zee er vrij spel hebben. Achter dijken voelt men zich veilig tot er weer eens een stormvloed komt die sterker blijkt te zijn.

Vroeger, toen ze leefden van de zeevaart, reisden de eilanders de wereld over, nu komt de wereld, in de vorm van onderzoekers en toeristen, naar hen toe.

In de Deense Waddenzee liggen drie bewoonde eilanden, met ieder hun eigen cultuur en geschiedenis. Het zijn overwegend zandeilanden, door wind en zee bij elkaar geveegd. De Deense eilanden zijn een paar duizend jaar oud, er zijn nauwelijks sporen van menselijk leven van vóór de Middeleeuwen.

Grappig om te weten in verband met de namen van de eilanden is dat 'ø' Deens is voor eiland.

- Mandø, met haar 8 km², is het kleinste Deens Waddeneiland. Mandø bestond vroeger uit twee eilanden die halverwege de jaren dertig van de vorige eeuw door een dijk met elkaar werden verbonden. Tegenwoordig is Mandø bijna helemaal omgeven door een dijk. Het is er rustig omdat het eiland bij hoogwater niet te bereiken is. De twee wegen ernaar toe, de Liningsvejen en de Ebbevejen, zijn namelijk alleen bij laagwater te gebruiken. Op Mandø wonen ongeveer 70 mensen. De enige duinenrij die Mandø rijk is, is tot 200 meter breed. Zij beschermt de bewoners van het dorp tegen de zee. De dijk beschermt de lager gelegen weilanden tegen overstromingen. Op Mandø zijn tentoonstellingen te zien over het eiland en over de meer dan 300 verschillende soorten vogels van het eiland. Verder kun je je vergapen aan een rond 1831 gebouwde kapiteinswoning, een kerk uit 1639 en een oude molen uit 1860;

- Fanø is ongeveer 56 km² groot. In 1990 woonden er ongeveer 3.300 mensen. In de 18e en 19e eeuw was dit eiland de thuishaven van grote handelsvloten. Tot eind 19^e eeuw werden er duizenden schepen gebouwd. De scheepswerven verdwenen met de opkomst van het stoomschip. Het toerisme heeft Fanø van de ondergang gered (net zoals dat bij Vlieland gebeurde, zie hoofdstuk 4. De bewoonde Nederlandse Waddeneilanden, 4.2. Vlieland). Het eiland heeft een aangenaam breed en stevig strand in het westen. Zo stevig dat er zelfs motorraces kunnen worden gehouden;

- Rømø is sinds 1949 door de 10 km lange Rømødam met het vasteland verbonden. Op dit 130 km^2 grote eiland leven tegenwoordig ongeveer 800 mensen. Rømø is vermoedelijk pas rond het jaar 0 gevormd. Het eiland groeit nog steeds door de aanhoudende aanvoer van zand door de zee. Zoals op alle duineneilanden leverde de landbouw ook op Rømø te weinig op om van te leven. De mannen gingen walvisvaren en later naar de koopvaardij. Dat er op Rømø commandeurs - kapiteins van walvisvaarders - woonden, kun je nog steeds aan sommige huizen zien. In de 17^e / 18^e eeuw was de duinbegroeiing door overbeweiding grotendeels verdwenen, te lang had men te veel dieren op te weinig grond laten grazen, het land was uitgeput geraakt.. De duinen werden 'wandelende' (stuif)duinen; het stuifzand bedreigde het weiland en het bewoonde gebied. Bebossing maakte een einde aan deze 'wandelende' duinen en het was meteen handig voor de brandhoutvoorziening. Rond 1900 kwamen de eerste toeristen naar Rømø. Bij Lakolk richtte men, onder leiding van een dominee, de eerste badplaats in. In 1960 werd bij Havneby een haven aangelegd en in 1968 begon men met garnalenvangst, waardoor Havneby bekend werd als vissersplaats.

Bij het Deense Waddengebied horen ook:
- het onbewoonde eiland Langli, dat bestaat uit duinen en *kwelders*. Het is uitgeroepen tot wetenschappelijk natuurreservaat, wat betekent dat er geen toeristen mogen komen en dat er niemand mag wonen;

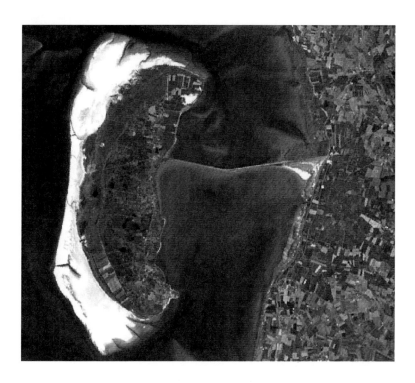

Satelietfoto van Rømø, waarop de Rømødam goed te zien is

- het kustgebieden op het vasteland rond de Ho Bugt, dat wordt doorsneden door veel *slenken* die de duinen en de *kwelders* aantasten;
- Skallingen, een 13 kilometer lang schiereiland dat gevormd is door zandtransporten langs de kust. Het is een duinenrij met een *kwelder* erachter;
- het gebied van Esbjerg tot aan de Duits-Deense grens, Sønderjylland.

7. De Duitse waddenkust

Het ontstaan van de Duitse Waddeneilanden, waarvan een deel bij de deelstaat Ostfriesland hoort en een ander deel bij Nordfriesland, verschilt niet wezenlijk van de Nederlandse Waddeneilanden. Het was en is een nooit ophoudend spel van zeewater en wind, van eb en vloed, van zand, zout en klei, van stormen en luwtes, van duinvorming en afkalving, van groeien en verdwijnen.

Hoewel de Duitse zandbanken en -platen, net als de Deense en de Nederlandse, door de noordwestenwinden en zeestromingen voortdurend van vorm blijven veranderen, is er ook voor de Duitse Waddenkust sprake van een aantal blijvende, bewoonde eilanden. Bij Ostfriesland hoort het Waddengebied van Niedersachsen met:

- Borkum, dat door de golfstroom een gematigd klimaat heeft. Dat wil zeggen dat het in de zomer niet heel warm is en dat het in de winter niet heel koud is. Omdat het eiland in de open zee ligt, is de lucht er bijzonder pollenarm en jodiumhoudend. Dit maakt het eiland geschikt als kuuroord, vooral voor mensen met ademhalingsstoornissen. Er vinden onder andere behande lingen plaats met geneeskrachtige natuurmodder.
  In 1986 werd Borkum een deel van het Nationaal park Waddenzee. Ook maakt Borkum deel uit van het biosfeerreservaat Waddenzee en van het Europese netwerk van beschermde gebieden "Natura 2000". Het is een geregistreerd vogelgebied met veel beschermde planten en dieren;

- Juist is een 17 kilometer lang, smal eiland dat de laatste honderd jaar nauwelijks van vorm en plaats is veranderd. Er zijn drie duincomplexen, Billdünen, de Haiddünen en de Kalfamerdünen, die men met veel moeite met elkaar heeft kunnen ver binden om uiteenvallen van het eiland in drie delen te voorkomen. Op Juist is een klein vliegveld aangelegd. Tegenwoordig verliest het eiland aan de westkant, bij de Bill-Polder, steeds meer land doordat de beplanting niet in staat blijkt om de zandgrond goed vast te houden;

- Norderney hoort bij de deelstaat Nedersaksen en het district Aurich. Officieel heeft het de status van stad. Dit lange smalle eiland met een oppervlakte van ongeveer 25 km^2 is de woonplaats van ongeveer 6.000 mensen. De hoofdplaats, Norderney, is een belangrijke badplaats en ligt in het westen. Net als Borkum is Norderney aan de westkant als bescherming tegen de opdringerige zee vastgelegd in een betonnen muur. Norderney kan zowel per vliegtuig als wadlopend worden bereikt;

- Baltrum is tegenwoordig 5 km lang en 1 km breed, er wonen ruim 500 mensen. Het geldt naast Langeoog als het beste surfgebied van de Ostfriese eilanden en er komen ongeveer 50.000

Ook de Deense en Duitse waddeneilanden moeten beschermd worden tegen de opdringerige zee

bezoekers per jaar, vooral gezinnen die rust zoeken. Zoals alle Oostfriese eilanden heeft ook Baltrum een kenmerkende opbouw van landschapstypen. Achter het Noordzeestrand liggen duinen die het eiland tegen overstromingen moeten beschermen. In de vochtige duinvalleien groeien zeldzame planten. De zoetwatervoorraad in de Baltrumse duinen is niet aangetast omdat er een drinkwaterleiding van het vasteland naar het eiland loopt. Achter de duinen ligt kleigrond, die door een dijk beschermd is tegen de Waddenzee. Het eiland is autoloos, maar kan wel per vliegtuig worden bereikt. Onder leiding van een *wad*gids is het mogelijk om vanaf het vasteland binnen twee uur naar het eiland te lopen;

- Langeoog is ongeveer 20 km^2 groot en telt rond de 2150 inwoners. Het eiland hoort bij het district Wittmund en de drie duincomplexen waaruit het bestaat zijn pas rond 1900 met elkaar verbonden. Het eiland is een kleine twintig jaar lang onbewoond geweest (van 1721 tot 1740) omdat stormvloeden en zandverstuivingen er het leven onmogelijk hadden gemaakt. Langeoog is autovrij, maar het heeft wel een vliegveld. De haven is met het dorp, Langeoog, verbonden door een spoorlijntje;

- Spiekeroog ligt in het Nationalpark Niedersächsisches Wattenmeer, en heeft een oppervlakte van ongeveer 18 km^2. Dit eiland heeft haar eilandkarakter behouden, er liggen geen betonnen zeeweringen en er is veel groen in het dorp. Op Spiekeroog wonen ongeveer 700 mensen, die per jaar door rond de 50.000 bezoekers worden overspoeld. Ook hier rijden geen auto's, behalve van de brandweer en de ambulance, en fietsers ziet men evenmin graag. Dat is ook niet nodig omdat alles lopend goed te bereiken is;

- Wangerooge ligt net als Spiekeroog in het Nationalpark Niedersächsisches Wattenmeer. Het eiland heeft de oudste vuurtoren van de Duitse Noordzeekust. Sinds 1800 is het eiland een badplaats. In de Tweede Wereldoorlog kreeg Wangerooge het zwaar te verduren omdat het aan de vaarroute naar Wilhelms-haven lag, de thuishaven van de Duitse Marine. Men kan zich vanaf de haven met een smalspoortreintje naar het dorp in het midden van het autovrije eiland laten vervoeren. Ook heeft Wangerooge een kleine luchthaven.

En er zijn nog enkele - tot nu toe - onbewoonbare Duitse Wadden-eilandjes met klinkende namen zoals:
- Lütje Hörn, met spaarzaam begroeide duintjes;
- Memmert, dat bekend staat als vogeleiland, de mens heeft geholpen bij het ontstaan van de duinvorming op dit eiland, dat oorspronkelijk een zandbank was;
- Minsener Oldoog, dat kunstmatig is versterkt met strandhoofden om het zand op te vangen;
- Kachelotplate, een hoge zandplaat waar bergeenden verbleven tijdens de rui;
- Scharhörn, waar veel wetenschappelijk onderzoek is gedaan omdat er plannen waren voor een diepzeehaven voor Hamburg. Toen bleek onder andere dat Scharhörn zijn vorm al ongeveer 4.000 jaar heeft.

De ontwikkelingsgeschiedenis van de drie Nordfriese eilanden die bij Schleswig-Holstein horen, Föhr, Amrum en Sylt, verschilt van die van de andere Duitse Waddeneilanden. Föhr, Amrum en Sylt bestaan namelijk uit de restanten van de IJstijd in het Saailien. De afzettingen waaruit deze eilanden zijn opgebouwd, zijn samengesteld uit zand, keileem en zwerfstenen en niet uit zand zoals de andere eilanden. Omdat deze eilanden toch ook door de voortdurende afbraak door de wind en de zee steeds kleiner worden, heeft men kustverdedigingswerken aangelegd zoals strekdammen van betonblokken. Daarnaast worden de stranden door de mens regelmatig voorzien van vers zand. Wel behoudt ieder eiland nog steeds zijn eigen, persoonlijke charme.

- Sylt ligt van alle Nordfriese eilanden het meest westelijk. Met zijn 100 km^2 is Sylt momenteel het grootste Waddeneiland van Duitsland. Het is sinds 1927 door de Hindenburgdam met het vasteland verbonden. Dit eiland heeft van de drie het langste zandstrand, wel 40 kilometer. Het eiland is duur en chic en het heeft van de drie de meeste restaurants, auto's, kuuroorden en bioscopen. Er is een vliegveld en je kunt je per autotrein naar het eiland laten vervoeren omdat er een spoorlijn over de Hindenbugdam loopt. Vroeger reed er een trein op het eiland, maar de spoorrails is in de jaren 70 van de vorige eeuw verwijderd. Ten westen van Sylt leven veel kleine walvissen zoals bruinvissen, die in de zomer tot dicht bij de kust komen;

- Amrum heeft het breedste strand, Kneipsand. Het eiland is klein en stil en het wordt in het noorden, zuiden en westen door bevaarbare geulen omgeven. Het eiland is ongeveer 20 km^2 groot en heeft een 15 km lange duinengordel langs de westkant. In de 5 dorpen wonen ongeveer 2.000 mensen. Amrum is populair bij toeristen. Het eiland is per vliegtuig te bereiken. Er bestaat een 6 km lange wadlooptocht van Föhr naar Amrum, die alleen onder deskundige begeleiding gelopen mag worden;

- Föhr heeft weinig duinen maar wel veel kleigrond. Het eiland is groen en landelijk, wat niet bij de naam past: Föhr betekent in het Fries namelijk 'feerlunn' of onvruchtbaar, droog land. Het eiland meet 82 km^2 en er wonen ongeveer 8.700 mensen, verdeeld over 10 plaatsen. Föhr heeft een vliegveld, het 9 meter hoge Goting Kliff en in het noorden een vlak weidegebied, dat in de 15^e eeuw werd ingepolderd.

Woorden en begrippen

Afrasteringpaal,	paal die een scheidingslijn aangeeft
Archeoloog,	wetenschapper die de grond afgraaft op zoek naar spullen zoals munten of scherven aardewerk die wijzen op en vertellen over bewoning in vroegere tijden
Dialect,	streektaal
Ecosysteem,	geheel van planten en dieren die elkaar en het milieu waarin ze leven op allerlei manieren beïnvloeden
Getijverschil,	het verschil in waterstand tussen eb en vloed
Golfhoogte,	hoe vlak of hoe woest de zee is
Kleileem,	sterke, kneedbare grond, met 20% zandgehalte
Kustlijn,	lijn waar land en zee elkaar raken
Kwelder,	stuk land dat buiten de dijk ligt, dat alleen bij hoog water nog onderloopt, gedeelten van het *wad* die vrijwel altijd boven water liggen
Lagune,	klein strandmeer
Particulier,	van iemand persoonlijk in plaats van van iedereen
Pension,	huis waar men tegen betaling kost en inwoning krijgt
Priel,	fijnere vertakking van geulen in een Waddengebied
Proviandering,	voedselvoorziening
Schor,	buitendijks aangewassen kleigrond die alleen bij hoogwater onderloopt
Slenk,	geul in het strand, verzakking van het land
Slibvlakten,	stuk land dat is ontstaan door bodembestanddelen die door water zijn aangevoerd
Slikken,	natte aangeslibde grond
Stormvloed,	hoog water dat veroorzaakt is door storm
Terp,	door mensen van klei gebouwde heuvel waar op men zich terugtrok als het water hoog kwam te staan

Wad,	bij laag water droogvallende grond langs de kust
Wadplaat,	zandplaat die regelmatig onder water loopt
Wierd,	andere benaming voor een terp

Vuurtorens zijn van groot belang voor de scheepvaart
rond de eilanden

Nog meer informatie

Als je op het Internet inlogt en naar Google gaat, typ je 'Wadden' in en dan vind je pagina's vol Nederlandse sites waarop je heel veel over dit gebied en vakanties op de eilanden aangeboden krijgt. Vakantiehuizen, hotelarrangementen, eiland hoppen, je kunt het allemaal bestuderen vanachter je computer. Je kunt er lezen over de geschiedenis, de natuur en de cultuur van deze wonderbaarlijk flexibele kustlijn.

Een paar sites op een rijtje

www.wadden.nl (informatie over de Waddeneilanden en vakantie vieren daar)
www.waddenvakantiehuis.nl (voor als je iets toeristisch wil doen in Friesland)
www.waddenkiosk.nl (van alles over de Wadden, tot en met cadeautjes aan toe)
www.waddeneilandensttartkabel.nl (over watervakanties, ook in het buitenland)
www.opdewadden.nl (kun je vakanties boeken op een eiland maar ook in een kustplaats)
www.op-terschelling.nl (internetverwijzingen naar vakantie op Terschelling)

Bronnen voor dit boekje:

De grote Oosthoek. Utrecht, Oosthoeks Uitgeversmaatschappij BV. 1976-1981. ISBN 90 6046 220 3

Fietsen op een wandelend eiland. Eindredactie Pauline Slaa. Ponsen & Looijen, Wageningen. 2001. ISBN 90 6809 301 0

Friesland. Yono Severs. Ellessy, Arnhem. 2007. ISBN 978-90-86600-12-0

Langs de Waddenzee. Gerrit van der Heide. Waanders, Zwolle. 1987. ISBN 90 6630 062 0

Onze Waddeneilanden. S.J. van der Molen. Uitgevrij Publiboek / Baart, Deurne / Ommen. 1983. ISBN 90 6513 093 4

Terschelling. Kim van Dam en Freek Zwart. REGIO-Project Uitgevers, Terschelling / Groningen. 2000. ISBN 90 5028 152 4

Wadden, verhalend landschap. Onder redactie van Jan Abrahamse, Marieke Bemelman en Martin Hillenga. Tirion natuur, Baarn. 2005. ISBN 90 5210 612 6

Waddenzee. Jan Abrahamse en Johan van der Wal. Uniepers, Amsterdam. 1989. ISBN 90 6825 065 5

Internetsites:

www.ameland.nl
www.amelandermusea.nl
www.nioz.nl
www.nl.borkum.de
www.dijkgraaf.org
www.schiermonnikoog.nl
www.terschelling.nl
www.texel.nl
www.vlieland.nl
www.wikipedia.nl
www.wadden.nl
www.waddenkiosk.nl
www.maritieminstituutwillembarentsz.nl

Reeds verschenen
in de WWW-Terra reeks: